LAROUSSE

¿Cuánto sabes de...?

Los caballeros y castillos

Equipo Editorial de América Latina

Director editorial de la versión en lengua española
    para América Latina: Aarón Alboukrek
Editor asociado: Luis Ignacio de la Peña
Coordinación editorial: Verónica Rico
Traducción de Larousse con la colaboración de:
    Lucrecia Orensanz
Revisión de pruebas: Rossana Treviño
Formación y composición tipográfica:
    Guillermo Martínez César

Edición inglesa

Kingfisher Publication Plc
New Penderel House
283-288 High Holborn
Londres WC1V 7HZ

Autor: Philip Brooks
Editor: Fergus Collins
Editor de arte: Keith Davis
Diseñador: Joe Conneally

Ilustraciones: Francis D'Ohani, Kevin Toy, J. Gower, G D Achille/Artist
Partners, Martin Hargreaves, Nikki Palin, Adam Hook, Angus McBride,
Eddy Krähenbühl, Julian Baker, Peter Dennis/Linda Rogers Agency,
Ray Grinaway, Lee Edwards, David McAllister/Simon Girling,
Shirley Tourret, Steiner Lund, Christa Hook/Linden Artist,
Nick Harris/Virgil Pomfret, John James

PRIMERA EDICIÓN

ISBN 0-7534-0547-4 (Kingfisher)
ISBN 970-22-1111-5 (Larousse México, colección completa)
ISBN 970-22-1112-3 (Larousse México)

Larousse y el logotipo Larousse son
marcas registradas de Larousse, S. A.

Impreso en China

Contenido

Los caballeros

Los caballeros eran nobles que peleaban a caballo y a menudo vivían en castillos. Este estilo de vida comenzó en Francia a principios de la Edad Media (ver página 38) y se extendió por toda Europa. Los caballeros formaban parte del sistema feudal, que permitía a los reyes ganar batallas y gobernar sus reinos.

El rey

Caballero romano

Caballero godo

¿Cómo funcionaba el sistema feudal?

En los países donde había sistema feudal, el rey era dueño de toda la tierra, pero distribuía partes entre sus señores feudales, que eran caballeros. Este "regalo" permitía a los caballeros tener un ingreso, pero a cambio debían pelear por el rey y ayudar a manejar el reino. El rey también permitía a los campesinos trabajar sus tierras a cambio de ciertos tributos.

¿Quién era Carlomagno?

Carlomagno era el rey de los francos, un pueblo que ocupó Francia y Alemania. Desde Aquisgrán construyó un enorme imperio. Convirtió a los señores locales en gobernadores y les dio tierras a cambio de sus servicios. Así creó un primer sistema feudal. En el año 800 se le nombró "emperador romano".

¿Quiénes fueron los primeros caballeros?

Los caballeros y el feudalismo comenzaron cuando Carlomagno (derecha) fundó su imperio en el siglo IX. Los romanos ya habían usado soldados a caballo, pero su papel era menor. Algunos pueblos europeos gobernados por los romanos, como los celtas y godos, eran buenos jinetes y peleaban a caballo, pero no eran verdaderos caballeros porque no tenían sistema feudal.

¿Por qué eran tan poderosos los normandos?

Los normandos eran un pueblo que llegó de Escandinavia y se estableció en el noroeste de Francia. Eran buenos constructores y erigieron muchos castillos fuertes. Al igual que sus antepasados vikingos, eran buenos soldados, navegantes y constructores de barcos. A diferencia de los vikingos, tenían un sistema feudal. Todo esto los ayudó a crear un reino poderoso en Francia e Inglaterra. Los normandos también conquistaron tierras en el sur de Italia y Medio Oriente.

¿Cómo eran los primeros castillos?

Cuando los normandos conquistaron Inglaterra, necesitaban construir castillos rápidamente para establecer a sus señores. Formaban una colina de tierra llamada mota y arriba construían una torre de madera. Junto a la mota levantaban una empalizada de madera para delimitar un patio llamado atrio, donde construían un salón, establos, una capilla y habitaciones. Un foso rodeaba todo el castillo.

Mota

Atrio

¿Cómo se distinguía un normando de alto rango?

Un normando de alto rango (arriba) montaba a caballo, llevaba un escudo alargado y usaba armadura de cota de malla. Tenía espada y una lanza, en la que ataba una pequeña bandera, llamada pendón.

¿Eran débiles los castillos de madera?

Los castillos de madera quedaban bien protegidos por la mota y el foso, pero era fácil derrumbarlos o incendiarlos. Casi todos se reemplazaron por castillos de piedra.

Construir un castillo

Para construir un castillo se necesitaban artesanos hábiles, como mamposteros para trabajar la piedra, carpinteros para construir pisos y techos, y herreros para hacer rejas y cerraduras. El maestro albañil diseñaba el castillo, supervisaba todas las obras y se aseguraba de que la construcción quedara muy fuerte.

¿En cuánto tiempo se construía?

Los normandos podían levantar un castillo de madera en pocos días, pero uno de piedra grande (derecha) requería varios años. Los constructores no tenían herramientas modernas. Usaban mecanismos sencillos, como poleas o andamiajes y escaleras de madera.

¿Por qué las escaleras suben a la derecha?

Con las escaleras construidas así, un defensor diestro que bajaba podía usar cómodamente su arma. Al atacante, que subía, le resultaba más difícil.

¿Cómo se cortaban los grandes bloques de roca?

Los mamposteros (arriba) usaban sierras grandes, manejadas por dos hombres, para hacer cortes gruesos en la piedra. Luego marcaban los bloques y les terminaban de dar forma con cinceles. Avanzaban lo más posible en la cantera para transportar sólo lo indispensable hasta el lugar de la construcción.

¿Cómo se construían los muros?

A los constructores de castillos les gustaba usar sillares, bloques de piedra rectangulares y bien labrados con mazo y cincel, si lograban conseguirlos. Los unían con mortero (derecha) para que fuera difícil derribarlos. Colocados con cuidado, los sillares servían incluso para construir torres redondas. Para reforzar las murallas, se rellenaban con cascajo y mortero (ver página 9).

(ver página 9).

Ponte a prueba

1. ¿Con qué se hacía girar el torno?
a) Con una vara flexible
b) Con un molino de agua
c) Con un motor

2. ¿De qué era el andamiaje?
a) De piedra
b) De varilla de metal
c) De madera

3. ¿Cómo se levantaban las rocas grandes?
a) Con las manos
b) Con pinzas de metal
c) Con canastas

4. ¿Cuántos hombres cortaban un tronco?
a) Uno
b) Dos
c) Tres

¿Cómo se levantaban las rocas grandes?

Subir grandes trozos de roca hasta los parapetos era muy difícil. Los albañiles las levantaban con cuerdas y poleas unidas a una estructura sencilla (izquierda). En el extremo de la cuerda colocaban una canasta para rocas pequeñas o un par de pinzas de metal para rocas más grandes.

¿Cómo eran los tornos?

Los carpinteros usaban una herramienta llamada torno para formar postes y otras piezas de madera redondeadas. La pieza de madera se hacía girar a gran velocidad con una vara flexible (derecha). El carpintero acercaba su cincel a la pieza mientras giraba, para redondear las esquinas y tallarle la forma deseada.

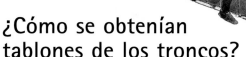

¿Cómo se obtenían tablones de los troncos?

Los carpinteros medievales usaban una fosa y una sierra larga a dos manos (arriba) para cortar los troncos a lo largo. Un hombre tomaba la sierra desde adentro de la fosa y el otro desde afuera. A medida que cortaban, colocaban cuñas de madera en el corte para mantenerlo abierto. De un tronco grande obtenían varios tablones.

Tipos de castillos

Los constructores probaban distintos diseños para lograr castillos más fuertes. Uno de los más sencillos era una torre cuadrada llamada torre del homenaje, que rodeaban con más muros. Luego se agregaron torres y más murallas.

¿Por qué algunas torres eran redondas?

Las torres redondas, llamadas cubos o tambores, eran más fuertes, porque las esquinas de las torres cuadradas debilitan la estructura. Además, permitían a los defensores disparar flechas en todas direcciones. No todas las torres eran redondas, pero su importancia para la defensa las hizo muy populares.

¿Qué era una muela?

Una muela era una fortificación circular de piedra construida sobre una colina, que a menudo era la mota de un antiguo castillo de madera. A lo largo del interior de la muralla había un camino de ronda para que los defensores dispararan al enemigo desde las almenas. Abajo estaban el salón y otras habitaciones contra la muralla.

¿Por qué construir más murallas?

Los primeros castillos sólo tenían una muralla, de modo que era bastante fácil para los atacantes entrar. Por eso los constructores comenzaron a agregar más muros (derecha). Esto retenía más a los atacantes y, además, permitía a los defensores atraparlos entre una muralla y otra, donde eran atacados por los arqueros.

¿Qué era lo más fuerte de un castillo?

En los primeros castillos, el punto más fuerte era la torre del homenaje. Cuando pasaron de moda, la cabeza de puente se volvió la parte más fuerte, porque tenía murallas gruesas, torres gemelas y rejas fuertes, llamadas rastrillos (ver página 27). Afuera de las murallas principales había un patio llamado barbacana.

Barbacana (patio exterior)

Zanja seca

Garitas de madera

¿De qué grosor eran las murallas?

Las murallas de los castillos de piedra llegaban a tener varios metros de grosor. Mientras más gruesas fueran, más difícil resultaba para los enemigos derribarlas. Si eran muy gruesas, los enemigos ni se molestaban en intentar el ataque. Algunas murallas estaban formadas por dos muros paralelos rellenos con cascajo y mortero para darles más fuerza.

¿Qué eran los castillos concéntricos?

Un castillo concéntrico tenía dos series de murallas, una exterior y otra interior. Además de servir como doble barrera para el enemigo, permitía a los defensores tener dos líneas de fuego. La muralla exterior solía ser más baja, para que los arqueros del muro interior pudieran disparar sobre las cabezas de los que estaban en el muro exterior.

Château Gaillard (comenzado en 1196)

Almenas

Torre del homenaje

Camisa (muralla interior)

Liza (patio interior)

Cubo (torre redonda)

Antemuro (muralla exterior)

Ponte a prueba

I. En una muela, ¿dónde se paraban los arqueros?
a) En el patio
b) En un camino de ronda
c) En una pasarela

2. ¿Por qué los arqueros preferían torres redondas?
a) Podían disparar hacia varios lados
b) Eran más calientes
c) Eran espaciosas

3. ¿Qué era un rastrillo?
a) Un tipo de torre
b) Una reja fuerte
c) Un tipo de muralla

4. ¿Para qué había más murallas?
a) Para más soldados
b) Para impresionar
c) Para mejorar la defensa

Las partes del castillo

Cada castillo tenía uno o más patios. Contra las paredes del patio había habitaciones. Cerca de la sala mayor, donde todos comían, estaban la cocina y la despensa. Los establos, talleres y otras habitaciones estaban en las torres o en construcciones adicionales.

¿Dónde estaban los establos?

Los establos solían estar en alguno de los patios. Al igual que otras construcciones del interior del castillo, eran de madera. Cerca de los establos estaba el taller del herrador, que hacía las herraduras para los caballos.

¿Qué había en la torre del homenaje?

Como la torre del homenaje era la parte más fuerte, todo lo de valor se guardaba en su sótano. Arriba estaban el salón del señor feudal y las habitaciones de su familia.

¿Los calabozos eran prisiones?

Los sótanos de los castillos, ahora llamados calabozos o mazmorras, no eran prisiones, sino bodegas de armas, equipo y alimento. Las prisiones no eran comunes en la Edad Media. Sólo se mantenía cautivos a los nobles atrapados en una batalla, por los que se cobraba rescate (derecha).

¿Dónde estaban los baños?

Los castillos no tenían baños como los actuales. Para lavarse las manos y cara, se usaba un tazón de agua. Los retretes eran un asiento de madera colocado sobre un drenaje de piedra que llegaba hasta la fosa exterior. Los retretes olían mal y seguramente eran fríos, porque el drenaje estaba abierto al exterior.

¿Cómo se cocinaba?

Los castillos no tenían aparatos de cocina, casi todo se cocinaba en una chimenea o fogón (izquierda). El cocinero colgaba la carne de un espetón que hacía girar para asarla bien por todos lados. Otras comidas se hervían en grandes ollas y el pan se cocía en hornos especiales.

¿Cómo se usaban las torres?

Las torres se usaban de muchas maneras (izquierda). Los guardias aprovechaban las partes altas para vigilar los alrededores o para disparar desde las almenas. En los cuartos de abajo había saeteras desde las cuales disparar. En épocas de paz estos cuartos se destinaban a los soldados o miembros de la familia, porque tenían chimeneas y se podían calentar.

¿Los castillos tenían jardines?

Muchos castillos tenían jardines para cultivar hortalizas y hierbas comestibles. A finales de la Edad Media, cuando muchos castillos se volvieron más lujosos, se crearon jardines ornamentales donde las flores, hierbas, arbustos y árboles formaban diseños elaborados.

La vida en el castillo

Durante las épocas de paz, el señor feudal se dedicaba a recolectar el tributo de los campesinos y a reparar el castillo. Los caballeros salían a cazar, las mujeres y niñas hilaban lana, cocinaban y remendaban ropa. Por la tarde, todos se reunían en la sala mayor para cenar.

¿Dónde se dormía?

Los castillos medievales no tenían dormitorios. El señor feudal y su familia dormían en una habitación privada junto a la sala mayor (derecha). Otros dormían en la propia sala: después de la cena levantaban las mesas contra la pared y colocaban colchones rellenos de paja en el suelo. Otros más dormían en su lugar de trabajo. Los cocineros, por ejemplo, dormían en la cocina.

¿Qué se comía?

La gente comía lo que cosechaban los campesinos y lo que se llegaba a cazar. En épocas de abundancia el menú incluía carne de ciervo y jabalí, además de res, cerdo y carnero de la granja. La carne se acompañaba con pan y verduras. Muchas veces se servía en un plato de pan firme y se acompañaba con vino o cerveza espesa (derecha). En épocas de escasez se comía carne seca y salada, condimentada con hierbas para suavizar el sabor.

Plato hecho de pan

¿Con qué música se entretenían?

Los trovadores (derecha) cantaban y tocaban instrumentos. El violín era muy popular, pero después de las Cruzadas se puso de moda el laúd, un instrumento árabe. En Gales se tocaba el arpa y en el resto de Europa el salterio.

¿Las mujeres tenían derechos?

Las mujeres medievales tenían pocos derechos. Pocas estudiaban y la mayoría realizaban tareas domésticas. Si poseían propiedades, pasaban a ser de sus esposos cuando ellas morían. La esposa del señor feudal sí podía administrar el feudo y defender el castillo.

¿Quién era el jefe?

El jefe era el señor feudal y todos debían obedecerlo. Su poder abarcaba todos los aspectos de la vida cotidiana, desde cómo sembrar la tierra hasta quién lo acompañaba a las batallas. Lo único que el señor no controlaba era la religión, que estaba a cargo del obispo y clero locales.

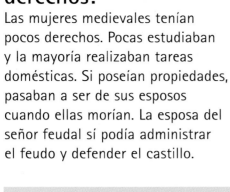

¿Quién ayudaba al señor feudal?

Todo un séquito de sirvientes, desde el mayordomo hasta el magistrado, ayudaban a administrar las propiedades feudales (ver página 30). Otros realizaban tareas más humildes (arriba). Los pajes servían la mesa y los mozos de cuadra cuidaban los caballos. A veces un escribano, que también podía ser capellán, llevaba las cuentas y escribía cartas. Pero el compañero más fiel e importante del señor feudal era su escudero (ver páginas 14-15).

(ver página 30)
(ver páginas 14-15)

Ponte a prueba

1. ¿Cómo se suavizaba lo salado de la carne?
a) Con lácteos
b) Con hierbas
c) Con vino

2. ¿Qué instrumento árabe se usaba?
a) El laúd
b) El violín
c) El tambor

3. ¿Cómo se evitaban las corrientes de aire?
a) Encendiendo las chimeneas
b) Colocando alfombras
c) Colocando tapices

4. ¿De qué eran los colchones?
a) De paja
b) De algodón
c) De resortes

¿Cómo se abrigaba la gente?

En comparación con las casas actuales, los castillos y casas feudales eran fríos, incluso con las chimeneas encendidas. Para evitar las corrientes de aire, se cubrían las paredes con tapices. En invierno, la gente usaba varias capas de ropa de lana, y los más ricos usaban prendas rematadas con pieles (derecha).

Armarse caballero

Para armarse caballero, un joven debía provenir de una familia noble. Desde niño comenzaba su entrenamiento como paje, para aprender a vivir como noble. De adolescente se convertía en escudero y aprendía conductas caballerescas y a manejar armas. Finalmente, era armado caballero en una ceremonia especial.

Paje sirviendo la mesa

¿Qué aprendían los pajes?

Los hijos de las familias nobles no iban a la escuela, sino que a los siete años eran enviados a servir como pajes en la casa de otra familia noble. Ahí aprendían buenos modales y habilidades, como llevar comida a la mesa (derecha) y servir a los señores feudales.

Escudero practicando con la lanza

¿Qué hacía un escudero?

El escudero era el ayudante personal de un caballero. Sus tareas incluían cuidar todas las armas y caballos. Antes de una batalla, el escudero ayudaba a su amo a ponerse la armadura. A veces debía luchar junto a él y ayudarlo si era herido. Así, el escudero aprendía a comportarse como caballero.

¿Los caballeros rezaban?

En la Edad Media la religión era muy importante. Cuando un escudero iba a ser armado caballero, solía pasar toda la noche previa a la ceremonia rezando en la capilla del castillo (izquierda). Esta vigilia era señal de que asumiría con seriedad la promesa de servir a su rey por el resto de su vida.

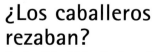

¿Cómo se aprendía a usar la espada?

Los caballeros y escuderos practicaban el uso de la espada con un escudo pequeño y redondo llamado broquel. Para ejercitar los músculos, los escuderos practicaban con espadas más pesadas que las usadas realmente en la batalla. A veces los pajes y escuderos practicaban con espadas de madera.

Pajes haciendo ejercicio

Escudero ayudando al caballero

Práctica de espadas

Armándose caballero

Ponte a prueba

1. ¿A qué edad un niño se hacía paje?
a) A los 4 años
b) A los 7 años
c) A los 17 años

2. ¿Por qué era peligroso ser escudero?
a) Los caballeros eran crueles
b) A veces iban a las batallas
c) No tenían escudo

3. ¿Cómo se llamaba el escudo pequeño y redondo?
a) Broquel
b) Yelmo
c) Escudo manual

4. ¿Con qué se armaba a un caballero?
a) El escudo
b) La lanza
c) La espada

¿Cómo se ejercitaban los escuderos?

Los escuderos se mantenían en forma entrenándose con la espada y practicando lucha, lanzamiento de jabalina y otros deportes. Debían estar en forma por si se presentaba una batalla.

¿Los caballeros y escuderos se portaban bien?

Se suponía que los caballeros y escuderos debían comportarse bien, ser considerados con las mujeres y respetuosos con todos. Pero no siempre lo cumplían. A veces se juntaban varios escuderos y causaban problemas. Un grupo incluso incendió parte de un pueblo.

¿Cómo se armaba un caballero?

Para que un escudero fuera armado caballero, debía pasar por una ceremonia especial en la que se hincaba ante su señor o el rey, quien lo tocaba en el hombro con su espada. Entonces el nuevo caballero recibía una espada y espuelas. Generalmente se hacía una celebración después.

15

Heráldica

En la Edad Media todas las familias nobles tenían un escudo de armas que usaban como insignia. Cada caballero usaba su escudo de armas en las batallas y torneos para ser reconocido. Los escudos de armas se diseñaban usando cierta gama de colores y figuras básicas.

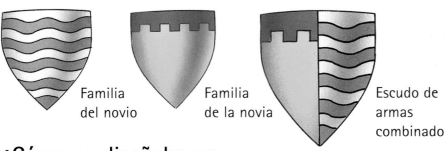

Familia del novio

Familia de la novia

Escudo de armas combinado

¿Cómo se diseñaba un escudo de armas?

El heraldista elegía los colores, formas y diseño más adecuados a cada familia. Se aseguraba de que el diseño fuera distinto de cualquier otro, pues cada escudo de armas debía ser único. Cuando los hijos de dos familias nobles se casaban, la pareja podía combinar sus dos escudos de armas (arriba).

¿Qué significaban los símbolos heráldicos?

Muchos de los símbolos usados en heráldica tienen significados especiales. Por ejemplo, la línea diagonal (izquierda) significaba que los padres del portador no estaban casados. Esto era importante en la Edad Media porque un hijo ilegítimo no podía heredar las tierras o títulos de su padre.

¿Cuáles eran las tareas del heraldista?

El heraldista era un funcionario del rey o de un gran señor feudal. Además de diseñar escudos de armas (arriba), organizaba torneos y ceremonias. Durante las batallas, llevaba mensajes al enemigo (izquierda). Era importante que reconociera todos los escudos de armas, para dar el mensaje a la persona correcta.

¿Cómo se distinguía a un hijo mayor?

El hijo mayor usaba el escudo de armas de su padre con un elemento adicional. Si el padre estaba vivo, llevaba un símbolo llamado lambel, una banda estrecha que cruzaba de hombro a hombro, con tres tiras hacia abajo. Cuando el padre moría, el hijo retiraba el lambel.

¿Cómo se identificaba a los caballeros en el campo de batalla?

Los caballeros decoraban su escudo y su gabán (una prenda suelta colocada sobre la armadura) con su escudo de armas. Esto permitía distinguir a unos de otros en la confusión de la batalla. Los escudos de armas también permitían a los heraldistas distinguir a los muertos después de una batalla (abajo).

¿La heráldica usaba un código especial?

Los escudos de armas se describían en un código especial basado en el francés antiguo. Cada color tenía un nombre en esta lengua. Por ejemplo, el rojo se llamaba gules y el negro, sable. Los heraldistas actuales siguen usando este código.

¿Qué eran los tenantes?

Los tenantes eran un par de figuras colocadas a cada lado del escudo de armas, como si lo estuvieran sosteniendo. Podían ser animales reales, como leones o antílopes, o míticos, como unicornios o grifos. Los tenantes no aparecían en el escudo o en el gabán de un caballero, pero sí en el escudo de armas completo.

Caballos

Los caballeros pasaban mucho tiempo a caballo, ya fuera peleando, cazando o viajando. El caballo era la posesión más valiosa de un caballero. Los pajes y escuderos aprendían a montar y cuidar su montura. Al crecer, aprendían a pelear a caballo con espada y lanza, para defender a su rey y participar en torneos.

¿Cómo eran los caballos de guerra?

Los caballos de guerra eran corceles machos grandes y poderosos, que podían moverse ágilmente en las batallas y alejarse del enemigo en un movimiento rápido. Se decía que los mejores y más caros caballos de guerra venían del sur de Europa, sobre todo de España e Italia.

¿Cuántos caballos tenía un caballero?

Casi todos los caballeros tenían varios caballos, para distintas tareas: uno o dos de guerra, uno ligero y fuerte para cazar y quizás alguno para viajar. También había caballos de carga, que llevaban equipaje.

¿Cómo se podía herir a un caballo?

Si soldados de a pie iban a pelear contra caballeros montados, arrojaban al suelo unas piezas de metal con cuatro picos, llamadas abrojos. Estaban diseñados de tal modo que, al caer, un pico siempre apuntaba hacia arriba y podía enterrarse en el casco de un caballo.

Abrojo

¿Cómo se controlaba al caballo?

El caballero controlaba a su caballo con ambas manos y piernas. Se sujetaba a su montura colocando los pies en los estribos. Así, le quedaban las manos libres para sujetar las riendas o empuñar la espada o lanza. Las riendas de cuero estaban sujetas a un freno en la boca del caballo. Al cambiar la tensión de las riendas, el caballero hacía que el caballo galopara (derecha), frenara o diera vuelta.

Estribo

¿Las espuelas lastimaban?

Los buenos jinetes usaban muy poco las espuelas, por ejemplo para que el caballo acelerara. Aun así, un solo toque de una espuela de pico ha de haber dolido bastante. Las espuelas de rodaja, con sus picos más cortos, lastimaban menos.

Espuela de rodaja

Caballo con armadura

¿Cómo se protegía al caballo?

Algunos caballeros mandaban hacer armaduras para sus caballos de guerra, porque corrían el mismo peligro que ellos en las batallas. Esta armadura constaba de una pieza para la cabeza y varias placas metálicas para el cuello. Como la armadura era cara, el resto del caballo solía quedar descubierto.

Ponte a prueba

1. ¿Cuál lastimaba menos?
a) Espuela de rodaja
b) Abrojo
c) Espuela de pico

2. ¿Para qué servían los abrojos?
a) Matar soldados
b) Controlar caballos
c) Herir caballos

3. ¿De dónde eran los mejores caballos de guerra?
a) De Holanda y Alemania
b) De España e Italia
c) De Gran Bretaña e Irlanda

4. ¿Qué era lo más valioso para un caballero?
a) Su espada
b) Su caballo
c) Su armadura

Armamento

Lo más temible en el campo de batalla era ver a toda una línea de caballeros enemigos correr directamente hacia uno. Bien armados, montados en caballos de guerra y enarbolando armas con las que se habían entrenado durante años, los caballeros eran rápidos, poderosos y difíciles de detener. Su arma preferida era la espada, que podían usar a pie o a caballo, pero también sabían usar otras armas.

¿Para qué se usaba la espada de doble filo?

La espada de doble filo se usaba para lanzar tajos hacia ambos lados. Era muy efectiva cuando el oponente no tenía armadura, sobre todo si era grande y con una empuñadura que el caballero podía tomar con ambas manos. Entonces usaba toda su fuerza para lanzarla de un lado a otro.

Maza

Escudo

Espada

Daga

Ballesta

Hacha

Flechas

Arco medieval

¿Sólo se usaban espadas y dagas?

Los caballeros usaban otras armas de mano (arriba y derecha), como el hacha y la maza. La maza era muy poderosa porque sus picos concentraban la fuerza del golpe y tumbaba al enemigo.

¿Cómo usaban sus escudos los normandos?

Los escudos normandos eran grandes y en forma de arco. Los sujetaban frente a sus cuerpos para protegerse mejor. Si un grupo de hombres peleaba en fila, juntaban los escudos para formar una pared difícil de atravesar para los arqueros e incluso para los soldados montados (abajo).

¿Cómo se usaba un mayal?

El mayal tenía un mango de madera con una cadena a la cual estaba sujeta una bola de metal con picos. Los caballeros lo usaban para pelear a pie. Lo apuntaban a la cabeza del enemigo para derribarlo o perforarle la armadura.

¿Era impenetrable la cota de malla?

Sí era posible herir seriamente a un caballero protegido con cota de malla, usando una espada o daga con una punta delgada, que pudiera pasar entre los anillos de metal. Los arqueros (derecha) también podían penetrar la cota de malla usando flechas con pequeñas cabezas de metal.

¿Cuándo se usaban las lanzas?

La lanza era un palo largo y pesado, que resultaba más efectivo al inicio de la batalla. La usaba un caballero montado que embestía a gran velocidad, y podía matar a un hombre de un solo golpe. Después del ataque, el caballero soltaba la lanza y desenvainaba su espada, más adecuada para la lucha frente a frente.

¿Cómo se reforzaban las espadas?

Los armeros reforzaban las espadas cambiándoles la forma. Las más fuertes eran las que tenían forma de rombo en sentido transversal. Tanto las espadas de tajo como las de estocada (abajo) tenían esta forma.

Ponte a prueba

1. ¿Cómo se sostenía una espada grande?
a) Cerca del pecho
b) Con una mano
c) Con ambas manos

2. ¿Qué forma de espada era la más fuerte?
a) La de rombo
b) La redonda
c) La hueca

3. ¿Qué armas atravesaban la cota de malla?
a) Las de punta delgada
b) Las de gran fuerza
c) Las más pesadas

4. ¿Cuándo se usaba el mayal?
a) A caballo
b) A pie
c) En barco

Armaduras

Todo caballero quería ir a las batallas bien protegido. A principios de la Edad Media los caballeros usaban cota de malla, pero luego se volvió más popular la armadura de planchas metálicas, porque protegía el cuerpo de las flechas y golpes de espada, sin impedir la movilidad. Sin embargo, sólo los ricos podían tener una armadura completa.

¿Qué hacía el armero?

Los armeros (abajo) eran artesanos que hacían armaduras y armas. Convertían planchas de metal en fuertes petos o cascos. Las martillaban sobre yunques o moldes hasta obtener la curvatura deseada. Las armaduras se dañaban en las batallas, así que los armeros pasaban bastante tiempo reparándolas.

¿Cómo se tejía el metal?

La cota de malla era un tipo de armadura hecha con miles de anillos de metal unidos entre sí para formar una rejilla. Al variar el número de anillos por hilera, el armero ensanchaba o estrechaba la pieza, e iba formando camisotes, jacerinas (capuchas), perneras e incluso guantes. La malla se usó hasta que se puso de moda la armadura de planchas, a finales del siglo XIII.

Anillo suelto

Malla

Casco cónico

Bacinete

Yelmo con penacho

Yelmo (para justas)

Celada

¿Por qué había tantos tipos de casco?

La moda de los cascos cambiaba como la de la ropa. Los caballeros de finales del siglo XIV usaban el bacinete, un casco con visor puntiagudo y gola (cuello) de malla, que ofrecía excelente protección. A mediados del siglo XV ya se usaban cascos más ligeros, llamados celadas. Para las justas y torneos los caballeros adinerados usaban un yelmo, que podía estar ricamente adornado.

¿Qué se usaba debajo de la armadura?

Debajo de la armadura el caballero llevaba una chaqueta acolchada llamada jubón de armas, que llevaba cota de malla en las axilas y otras zonas donde quedaban huecos entre las planchas de la armadura.

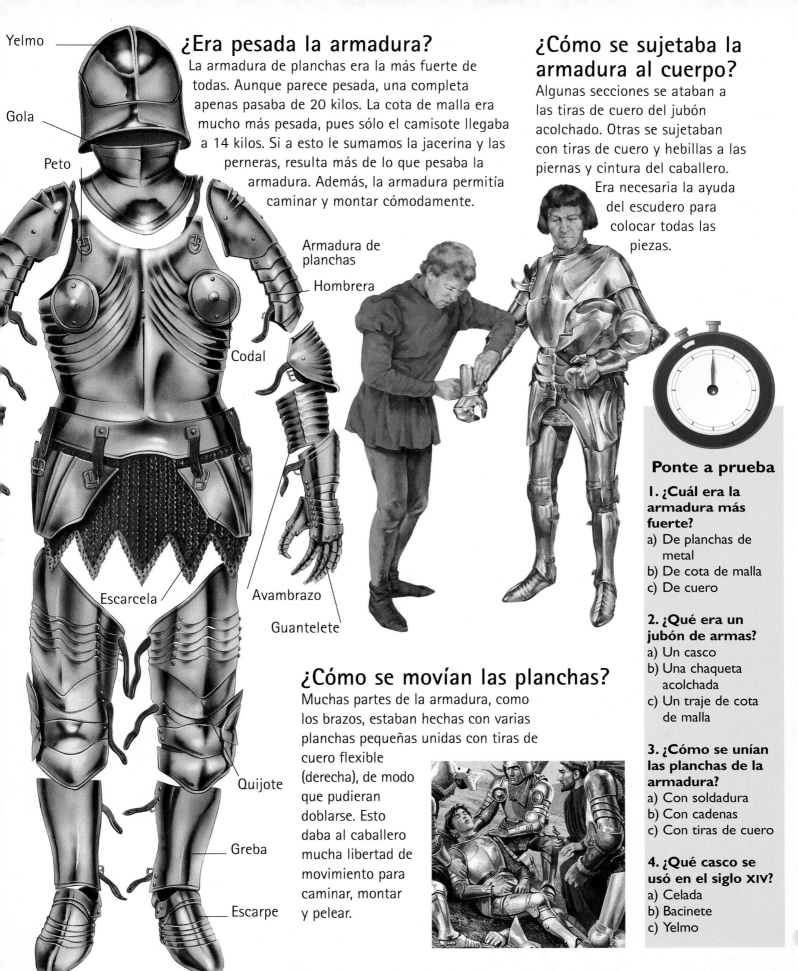

Yelmo

Gola

Peto

¿Era pesada la armadura?

La armadura de planchas era la más fuerte de todas. Aunque parece pesada, una completa apenas pasaba de 20 kilos. La cota de malla era mucho más pesada, pues sólo el camisote llegaba a 14 kilos. Si a esto le sumamos la jacerina y las perneras, resulta más de lo que pesaba la armadura. Además, la armadura permitía caminar y montar cómodamente.

Armadura de planchas

Hombrera

Codal

¿Cómo se sujetaba la armadura al cuerpo?

Algunas secciones se ataban a las tiras de cuero del jubón acolchado. Otras se sujetaban con tiras de cuero y hebillas a las piernas y cintura del caballero. Era necesaria la ayuda del escudero para colocar todas las piezas.

Ponte a prueba

1. ¿Cuál era la armadura más fuerte?
a) De planchas de metal
b) De cota de malla
c) De cuero

2. ¿Qué era un jubón de armas?
a) Un casco
b) Una chaqueta acolchada
c) Un traje de cota de malla

Escarcela

Avambrazo

Guantelete

¿Cómo se movían las planchas?

Muchas partes de la armadura, como los brazos, estaban hechas con varias planchas pequeñas unidas con tiras de cuero flexible (derecha), de modo que pudieran doblarse. Esto daba al caballero mucha libertad de movimiento para caminar, montar y pelear.

Quijote

Greba

Escarpe

3. ¿Cómo se unían las planchas de la armadura?
a) Con soldadura
b) Con cadenas
c) Con tiras de cuero

4. ¿Qué casco se usó en el siglo XIV?
a) Celada
b) Bacinete
c) Yelmo

El asedio

Cuando un enemigo llegaba en gran número a asediar un castillo, los ocupantes cerraban el puente levadizo y se preparaban para el sitio. El sitio podía terminar pacíficamente, sobre todo si los defensores se quedaban sin comida y debían renunciar. Si había una batalla, los atacantes usaban todo tipo de armas poderosas para forzar la entrada.

¿Eran eficaces los arqueros?

El arco era una de las armas más impresionantes de los soldados medievales. Sus flechas mortales volaban hasta 300 metros y un arquero hábil llegaba a disparar 12 flechas por minuto. Los defensores de un castillo debían esconderse detrás de las almenas para evitar las afiladas puntas metálicas.

¿Qué eran las máquinas de asalto?

Los aparatos que usaban los ejércitos medievales para atacar los castillos se llamaban máquinas de asalto o máquinas de guerra. Eran armas poderosas que lanzaban proyectiles o derribaban murallas. Las catapultas servían para lanzar rocas enormes. La balista era una ballesta gigante que lanzaba flechas a menudo rematadas con trapos encendidos. Algunas máquinas tenían plataformas con ruedas para acomodarlas frente al blanco. Cargar los aparatos muy grandes era tardado, pero valía la pena porque aterrorizaban al enemigo.

¿Cómo se derribaban las murallas?

Una manera de derribar murallas era usar un ariete, un enorme tronco de árbol montado sobre ruedas y techado. Un grupo de hombres se refugiaba bajo el techo y golpeaba las murallas con el tronco. Otro grupo de soldados trataba de escalar las murallas con una torre móvil. El ariete y la torre estaban cubiertos con pieles de animales para protegerlos de las flechas encendidas.

Torre móvil

Ariete

¿Qué eran las minas?

Las minas eran otra manera de derribar murallas. Los soldados cavaban un túnel e iban sustituyendo las rocas de los cimientos con soportes de madera. Luego prendían fuego a los soportes, para que las murallas se quedaran sin sostén y se derrumbaran. Entonces el ejército atacante entraba masivamente. Si los defensores se daban cuenta de que se estaba cavando una mina, podían cavar una contramina para llegar hasta los atacantes.

La entrada a la mina estaba lejos de las murallas

Se prendía fuego a los soportes | Se acarreaba madera para el fuego | Se retiraban los cimientos

Catapulta

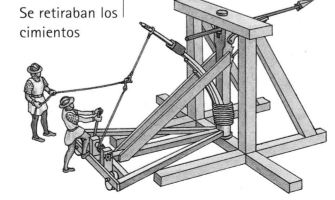

¿Cómo funcionaba la catapulta?

Algunas catapultas funcionaban con contrapesos y otras se tensaban con una cuerda que se soltaba para lanzar el proyectil. Se necesitaban muchos hombres para cargar las catapultas más grandes.

Ponte a prueba

1. ¿Con qué se cubrían las torres móviles?
a) Con madera
b) Con pieles de animales
c) Con pasto

2. ¿A qué velocidad disparaba un buen arquero?
a) 2 flechas por minuto
b) 12 flechas por minuto
c) 22 flechas por minuto

3. ¿Qué sostenía las minas?
a) Columnas de roca
b) Las manos
c) Soportes de madera

4. ¿Para qué se usaba la catapulta?
a) Escalar murallas
b) Disparar rocas
c) Espiar al enemigo

La defensa

Todos los detalles del castillo estaban diseñados para facilitar su defensa. Las murallas eran gruesas para soportar los ataques de máquinas de asalto y las ventanas eran pequeñas para evitar la entrada de flechas. Las almenas, torres y garitas eran buenas líneas de tiro.

¿Qué era el foso?

El foso era una barrera entre el castillo y los atacantes. Muchos castillos estaban rodeados por zanjas secas, pero un foso lleno de agua protegía mejor. Los atacantes podían cruzar una zanja y comenzar a cavar minas para derribar las paredes, pero con un foso era prácticamente imposible socavar las murallas.

¿Qué era el ataque vertical?

Una estrategia defensiva era el ataque vertical, que se realizaba a través de pequeñas aberturas en el techo, sobre todo en la cabeza de puente, por donde los defensores disparaban flechas o derramaban agua hirviendo sobre los atacantes. Los suelos aspillerados de los matacanes (ver página 27) cumplían el mismo propósito.

¿Cómo se usaba una saetera?

Una saetera era una abertura en la muralla, más ancha por dentro que por fuera, por donde un arquero podía disparar a cubierto, pues podía observar al enemigo sin ser visto. Cuando detectaba a su blanco, se colocaba frente a la saetera, disparaba y volvía a pararse al costado.

¿Cómo se derramaba aceite hirviendo sobre el enemigo?

Los defensores del castillo a veces derramaban agua o aceite hirviendo desde las almenas sobre los enemigos. Otra manera era usar los matacanes, que eran galerías con el piso aspillerado (perforado), colocadas junto a las almenas. Por las aberturas se derramaba aceite o agua, que caía sobre algún enemigo que quisiera escalar o derribar la muralla.

¿Qué era una "salida"?

Al hacer una salida (izquierda), los defensores dejaban la seguridad del castillo y se lanzaban masivamente al ataque del enemigo. Trataban de tomarlo por sorpresa antes de que pudiera derribar las murallas del castillo. La salida se dirigía sobre todo a las máquinas de guerra y soldados que las operaban.

¿Qué eran las garitas?

Las garitas eran pequeñas casetas de madera construidas sobre las almenas (derecha) para proteger a los arqueros y ofrecerles un rango de tiro amplio. Algunas también tenían el piso aspillerado para permitir el ataque vertical.

¿Qué eran los rastrillos?

Los rastrillos eran rejas fuertes colocadas en las entradas principales. Se dejaban caer para cerrarlas y para detener a los enemigos, que podían quedar atrapados bajo sus picos (derecha).

Ponte a prueba

1. ¿Qué era una saetera?
a) Un tipo de flecha
b) Una abertura en el muro
c) Una abertura en el techo

2. ¿Para qué se usaba un matacán?
a) Para ventilación
b) Para iluminación
c) Para derramar aceite hirviendo

3. ¿De qué eran las garitas?
a) De madera
b) De cuero
c) De piedra

4. ¿Contra qué protegía el foso?
a) Contra las minas
b) Contra las flechas
c) Contra las máquinas de asalto

Las Cruzadas

A finales del siglo XI, los dirigentes cristianos trataron de controlar Tierra Santa, la parte de Medio Oriente donde vivió Jesús. En esa época Tierra Santa era gobernada por los musulmanes, para quienes también era un lugar sagrado. Así comenzó un conflicto llamado las Cruzadas.

¿Quién iba a las Cruzadas?

Todo tipo de personas iban a las Cruzadas. Algunos cruzados eran reyes, como Ricardo I de Inglaterra o Felipe II de Francia. Otros eran nobles y muchos más eran caballeros y soldados que acompañaban a sus señores y reyes a Oriente. También fueron muchos campesinos, inspirados por dirigentes como el monje francés Pedro el Ermitaño.

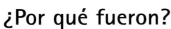

¿Por qué fueron?

Muchos cruzados eran personas que creían sinceramente que era correcto pelear por el control de los sitios cristianos en Tierra Santa (derecha), pero otros fueron sólo por la aventura o por obtener un beneficio, ya fuera en los saqueos o convirtiéndose en señores feudales en Oriente. Así pensaban muchos hijos menores de los nobles, que no heredarían propiedades o títulos de sus padres.

¿Qué fueron las Cruzadas de los Niños?

En 1212, un niño alemán de 12 años, llamado Nicolás, llevó a miles de niños por los Alpes camino a Tierra Santa. Un niño francés llamado Esteban dirigió a otro grupo de niños. Ambos grupos fracasaron. Esteban y sus seguidores fueron capturados y vendidos como esclavos. Los seguidores de Nicolás murieron en Italia.

¿Qué eran las órdenes religiosas militares?

Eran grupos de hombres que pudieron pelear contra los musulmanes a pesar de haber hecho votos religiosos. Había órdenes distintas, como los templarios (de la orden militar del Temple, en Jerusalén), los hospitalarios de San Juan (conocidos por su cuidado de los enfermos y heridos) y los teutónicos (originarios de Alemania).

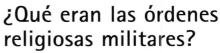

¿Qué se logró con las Cruzadas?

Aunque se establecieron estados en Medio Oriente, pronto fueron reconquistados. Sobrevivieron sólo las ruinas de sus castillos, como el Krak de los Caballeros. Sin embargo, Europa obtuvo conocimiento útil, medicamentos e inventos, como el molino de viento.

¿Quién fue Saladino?

Saladino fue un sultán musulmán que gobernó Egipto y parte de Siria. Defendió sus tierras de los cruzados y venció en la Segunda Cruzada. En la Tercera Cruzada peleó contra Ricardo I de Inglaterra. Nuevamente resultó victorioso y redujo bastante el poder de los cruzados.

Saladino

¿Cuántas Cruzadas hubo?

Entre los siglos XI y XIII hubo ocho Cruzadas de Europa a Tierra Santa. La más exitosa fue la primera (1096-1099), dirigida por un grupo de barones franceses y normandos. Terminó con la captura de Jerusalén. En 1271 los musulmanes recapturaron el último territorio cruzado en Tierra Santa.

Ponte a prueba

1. ¿Cuál rey de Francia encabezó una Cruzada?
a) Felipe I
b) Felipe II
c) Ricardo I

2. ¿Quién encabezó la Primera Cruzada?
a) Barones franceses y normandos
b) Ricardo I
c) Nobles alemanes

3. ¿Qué Cruzada fue la más exitosa?
a) La cuarta
b) La segunda
c) La primera

4. ¿Qué hacían los hospitalarios de San Juan?
a) Cuidaban heridos y enfermos
b) Ayudaban a los pobres
c) Peleaban por San Juan

El feudo

El feudo eran todas las propiedades del señor feudal: el castillo, la iglesia, las casas de los campesinos y las tierras de cultivo. El señor feudal era dueño, jefe y juez, y los campesinos tenían que hacer lo que él decía. Estos campesinos se llamaban siervos y no tenían libertad.

¿Quién administraba el dinero?

El mayordomo o senescal (izquierda) llevaba las cuentas del feudo. Debía estar educado, aunque los sistemas de contabilidad eran primitivos. Más tarde, un grupo de comerciantes italianos inventaron el sistema de contabilidad de "doble entrada", que se sigue usando. Además de llevar las cuentas, el mayordomo administraba la granja y fungía como juez en caso de que el señor no estuviera.

¿Qué hacía el administrador?

El administrador era un campesino que tenía sus propias tierras. Además de cultivarlas, supervisaba el funcionamiento diario de las tierras feudales, asegurándose de que todos los trabajos se hicieran correctamente y a tiempo. También se encargaba de hacer reparaciones y construcciones en la casa feudal, lo cual incluía contratar nuevos trabajadores, como albañiles y carpinteros. Era el siguiente en importancia después del mayordomo.

¿Cómo vivían los campesinos?

La vida de los campesinos era difícil. Los hombres pasaban el tiempo en los campos. Las mujeres cocinaban, cuidaban su casa y cosían la ropa de la familia. Los niños no iban a la escuela. Los varones ayudaban en el campo y las niñas aprendían a hilar, coser y cocinar. Los únicos días libres eran los domingos y las fiestas religiosas. Para algunos, los días de mercado eran un agradable descanso.

¿Quién vigilaba a los campesinos?

El magistrado principal (derecha) era un campesino elegido por los demás. Trabajaba de cerca con el administrador, pero solía estar en los campos, asegurándose de que todos trabajaran intensamente. Si alguno de los campesinos tenía un problema, el magistrado lo consultaba con el administrador, quien decidía si llevar el asunto ante el señor feudal o no.

Magistrado

¿Quién trabajaba las tierras feudales?

Las tierras feudales estaban divididas en dos partes. La mayoría se asignaba a los campesinos, que podían trabajarla a cambio de un tributo y ciertos servicios al señor. La otra parte se llamaba tierra solariega, y la trabajaba el propio señor feudal y los campesinos.

¿Quién se ocupaba de los delincuentes?

El señor feudal juzgaba los delitos menores. Los castigos podían ser latigazos, golpes, multas o encierros. Los delitos graves eran juzgados por el alguacil y eran castigados con la horca. La Iglesia tenía sus propios tribunales para juzgar a los miembros del clero que violaban la ley (arriba).

Ponte a prueba

1. **¿Quién era juez cuando el señor no estaba?**
a) El administrador
b) El magistrado
c) El mayordomo

2. **¿Quién cultivaba la tierra solariega?**
a) El señor feudal
b) El alguacil
c) El magistrado

3. **¿Cuántos años pasaba un campesino en la escuela?**
a) Diez
b) Seis
c) Ninguno

4. **¿Cómo morían muchas mujeres jóvenes?**
a) Por exceso de trabajo
b) Por la peste negra
c) Durante el parto

¿Qué ocurría si la gente se enfermaba?

La medicina medieval era elemental. Algunos remedios a base de hierbas funcionaban bien, pero otros no, como las sangrías. Muchas personas morían de enfermedades sencillas y pocas pasaban de los 40 años. La vida era difícil para las mujeres, pues muchas morían durante el parto. La enfermedad más temida era la peste bubónica (derecha), que mató a un tercio de la población europea en el siglo XIV.

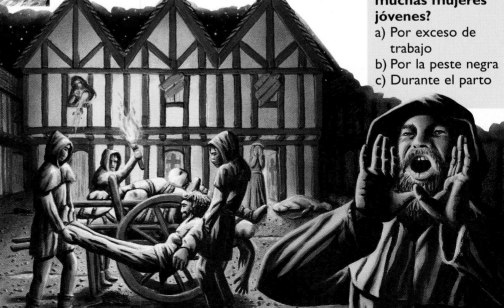

Pasatiempos

Durante la Edad Media, la gente debía buscar su propia diversión. Los pobres ocupaban el tiempo libre con juegos sencillos y contando historias. La vida era más fácil para los nobles, pero aun los caballeros debían combinar diversión y trabajo.

¿Cómo se divertían los adultos?

A algunas personas les gustaban los juegos de mesa, como el ajedrez (arriba). A los nobles les gustaba porque simula una batalla. Los caballeros y sus damas disfrutaban de las visitas de músicos y actores, que los entretenían a cambio de albergue y alimento.

¿Qué era la caballería?

La caballería era un código de conducta que debían seguir todos los caballeros. Se esperaba que fueran considerados con todos, en especial con las mujeres, y respetuosos hacia sus enemigos.

Muchos no lo cumplían, pero aun así la Edad Media se conoce como "Edad de la Caballería".

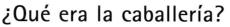

¿Cuáles eran los juegos favoritos?

Los niños campesinos se divertían con juegos sencillos que no necesitaban juguetes o aparatos, como "la mancha", "quemados" o "salto de burro". Los hijos de las familias nobles a veces recibían juguetes, como espadas y escudos de madera o soldados de miniatura.

¿Qué hacía el halconero?

Los halconeros entrenaban halcones para cazar y atrapar presas. Una manera de entrenarlos era dejarlos cazar como si estuvieran libres. Otra manera era usar un señuelo, un pájaro falso atado a un hilo largo. El halconero hacía girar el señuelo en el aire para que el halcón lo atrapara.

¿Por qué las niñas aprendían a hilar?

En la Edad Media casi todos los feudos criaban ovejas para obtener carne y lana. Era tarea de las mujeres hilar la lana y hacer telas. Para hilar sólo se necesitaba un huso sencillo o una rueca de madera, así que casi todas las niñas medievales aprendían a hilar.

¿Qué historias se contaban?

Uno de los pasatiempos favoritos era contar historias. Pocas personas sabían leer, pero las historias populares se contaban en voz alta y así pasaban de generación en generación. A todos les gustaban las hazañas y amores de los caballeros de épocas pasadas. Algunas de las historias favoritas eran sobre el mítico Rey Arturo de Inglaterra y sus caballeros de la Mesa Redonda (derecha).

¿Qué cazaban los caballeros?

Los caballeros cazaban animales comestibles. Preferían los animales grandes con mucha carne y difíciles de cazar, como el jabalí y el ciervo. Cuando estos animales escaseaban, buscaban liebres y otras criaturas pequeñas. Los campesinos cazaban aves y conejos. En la Edad Media había poca comida importada, de modo que todos comían lo que se cultivaba en las tierras locales. Con la cacería se variaba el menú y los caballeros se entrenaban para las batallas.

Ponte a prueba

1. ¿Qué cazaban los caballeros?
a) Halcones
b) Perros
c) Ciervos

2. ¿Qué rey era personaje de historias?
a) Rey Alfredo
b) Rey Arturo
c) Rey Alberto

3. ¿Cómo se llama a la Edad Media?
a) Edad de la Inocencia
b) Edad de la Caballería
c) Edad de Bronce

4. ¿Qué juego de mesa preferían los nobles?
a) Ajedrez
b) Damas
c) Solitario

Torneos

Como los caballeros necesitaban practicar para las batallas, hacían simulaciones de combates. A la gente le gustaba ver estas prácticas y así surgieron los torneos, grandes festivales a los que asistían espectadores desde lejos. Además de hacer batallas simuladas, los caballeros realizaban justas, en las que peleaban uno a uno, a caballo o a pie, con espadas.

¿Cómo eran las justas?

En las justas (derecha), dos caballeros montados se acercaban corriendo y trataban de tirar al otro del caballo. Usaban una lanza, que podía tener una punta afilada si era una "justa de guerra" o una punta roma si era una "justa de paz". Ambas eran espectaculares. Los caballeros usaban armaduras especiales. El peto tenía un descanso para la lanza y el casco cubría toda la cabeza. Sólo quedaba una ranura delgada para que el caballero pudiera ver.

¿Cómo practicaban los escuderos?

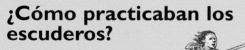

Como las justas eran peligrosas, los caballeros inventaron una forma más segura de entrenarse y preparar a sus escuderos. Cabalgaban hacia un armazón que tenía dos brazos giratorios sujetos a un poste de madera. En uno había un escudo y en el otro un contrapeso. El escudero debía alancear el escudo y pasar a gran velocidad, para no ser golpeado por el contrapeso.

¿Sólo los caballeros competían?

También los arqueros se preparaban para las batallas. Además, organizaban competencias en las que todos intentaban dar en el disco dorado al centro del blanco. Para proteger a los espectadores, se colocaban barreras de tierra detrás de los blancos.

¿Por qué acudían los espectadores?

A mucha gente le gustaba toda la exhibición que había en los torneos, que incluía los escudos de los caballeros decorados con sus escudos de armas, los estandartes y las gualdrapas, telas de colores brillantes con que se decoraba a los caballos. Cuando los caballeros pasaban por las calles hacia el sitio del torneo, la gente podía reconocer a los que apoyaba por sus insignias y escudos de armas.

¿Quién participaba en los torneos?

Principalmente los caballeros, sobre todo los que pertenecían a las familias poderosas. En las grandes simulaciones de batallas participaban muchos caballeros y también soldados de a pie. Los torneos eran presididos por el rey o por uno de sus más altos funcionarios. Además de servir como práctica para los caballeros, los torneos servían para mostrar la fuerza y número de seguidores del rey.

Los últimos castillos

Después del siglo XV, los nobles dejaron de construir castillos para protegerse. Comenzaron a construir casas elegantes y cómodas, porque habían cambiado los estilos de vida de la nobleza y las maneras de combatir. Algunas familias aún vivían en construcciones que parecían castillos, pero que no hubieran soportado una batalla.

¿Los cañones podían derrumbar castillos?

Los primeros cañones (arriba), usados a partir del siglo XIV, no siempre funcionaban bien. Hacían mucho ruido pero poco daño. Con el tiempo, los cañones se volvieron más grandes y confiables, y llegaban a formar boquetes enormes en las murallas de los castillos. Para el siglo XVI los castillos ya no representaban la seguridad del pasado.

¿La armadura era a prueba de balas?

Sí. Los armeros trataban de que las planchas de metal resistieran el impacto de las balas. Como las armas de fuego se volvieron más comunes a partir del siglo XV, la gente buscaba protección en su armadura. Muchos armeros le disparaban a los petos para probar su eficacia. La marca que dejaba la bala le aseguraba al portador que estaría bien protegido.

¿Cómo sustituyó el cuero a la armadura?

Hacia el siglo XVII, la caballería ligera (izquierda) estaba cumpliendo las funciones de los caballeros en el campo de batalla. Para muchos de estos soldados, un chaquetón de ante era suficiente protección contra los golpes de espada. Estos chaquetones se usaban con casco y un peto de metal, para proteger las partes más vulnerables del cuerpo.

¿Por qué los caballeros dejaron de construir castillos?

En 1453 los turcos otomanos sitiaron Constantinopla (ahora Estambul), capital del Imperio Bizantino (izquierda). Cuando las armas de fuego derribaron las murallas y los turcos invadieron la gran ciudad, pareció el fin de una era. Los castillos de piedra ya no eran invencibles. Además, el sistema feudal estaba en decadencia. Había terminado la era de los castillos.

¿Hay castillos "nuevos"?

Muchos nobles de los siglos XVIII y XIX quisieron revivir la Edad de la Caballería. Diseñaron casas al estilo medieval, con torres, cabezas de puente, paredes gruesas y ventanas en pico, como el Schloss Neuschwanstein en Alemania (arriba).

¿Por qué hay tantos castillos en ruinas?

A veces los enemigos dañaban un castillo durante un sitio y lo dejaban inservible. Algunos nobles abandonaron sus castillos y los habitantes locales usaron la piedra para construir nuevas casas.

¿Cómo cambiaron los castillos?

Después del siglo XV los castillos, ya no estaban construidos para soportar un ataque. Se les agregaron detalles que ofrecían mayor comodidad, como recámaras lujosas, y figuras de yeso. También se agregaron ventanales, de modo que las habitaciones estaban más iluminadas y ventiladas que en la Edad Media.

Ponte a prueba

1. ¿Quiénes usaban chaquetón de ante?
a) Las señoras feudales
b) Los escuderos
c) Los soldados de caballería

2. ¿Cómo se probaba una armadura?
a) Disparándole
b) Martillándola
c) Calentándola

3. ¿Qué le pasó a las ventanas de los castillos?
a) Se achicaron
b) Se agrandaron
c) Fueron tapiadas

4. ¿Qué amenazó más a los castillos?
a) La torre móvil
b) El cañón
c) La catapulta

Cronología

Esta cronología recopila las fechas clave en la historia de los caballeros y castillos. Casi todo ocurre en un periodo llamado Edad Media, porque está "a la mitad" entre el fin del Imperio Romano (siglo V) y el inicio del Renacimiento (siglo XV). Aunque no hay fechas precisas, la mayoría de los historiadores dicen que la Edad Media se extendió del siglo V al XV.

DE 800 D.C. A 1000 D.C.

800 El papa Leo III corona a Carlomagno Sacro Emperador Romano.

800–1000 Los gobernantes europeos comienzan a entregar tierras a sus nobles a cambio de servicios: se establece el sistema feudal.

800–1150 Predomina el estilo arquitectónico románico, con arcos redondeados, paredes gruesas y bóvedas de piedra.

911 El duque vikingo Rollon y sus seguidores conquistan el noroeste de Francia. Se llaman normandos y su territorio Normandía.

950 Se construye el fuerte de piedra de Doué-la-Fontaine, en Francia. Es el fuerte de piedra más antiguo que aún sobrevive.

987–1040 Foulques Nerra de Anjou construye 27 castillos como parte de su guerra contra el conde de Blois.

DE 1 D.C. A 800 D.C.

1–500 Los romanos usan una caballería ligera para apoyar a la infantería. Construyeron fuertes por toda Europa para defender su imperio.

350–550 Se desintegra el Imperio Romano de Occidente.

410 Los godos saquean Roma.

622 Se establece el Islam.

634 Omar I, califa de los musulmanes árabes, derrota a los bizantinos y conquista Tierra Santa.

771 Carlomagno se vuelve rey de los francos. Defiende sus tierras con guerreros montados.

Década de 790 Los vikingos invaden Gran Bretaña y Europa continental.

DE 1000 D.C. A 1100 D.C.

1000 Los normandos difunden en Europa la moda de los castillos. Comienzan con castillos de madera y luego adoptan la piedra.

1000–1200 Muchos pueblos italianos se vuelven estados independientes, cada uno con sus propias murallas y castillo. Cada noble italiano construye su propia torre de piedra. Algunas ciudades tienen muchas porque los nobles competían por tener la más alta.

1066 Guillermo I, duque de Normandía, invade Inglaterra y derrota al rey Harold II en la batalla de Hastings. Sus seguidores construyen castillos por todo el país para aumentar su poder.

1071 Nace Guillermo de Poitiers, el primer trovador (poeta y cantante medieval).

1090 Los escritores cristianos registran las reglas de conducta de los caballeros, más tarde el código de la caballería.

1095 El papa Urbano II promueve la Primera Cruzada.

1096–1099 Primera Cruzada. Los cruzados vencen a los musulmanes y conquistan Jerusalén.

1100 Las torres del homenaje se ponen de moda. Las de Inglaterra y Francia son cuadradas y fuertes; las de Alemania son delgadas y están rodeadas por murallas altas.

DE 1100 D.C. A 1200 D.C.

1100-1200 Los cruzados construyen muchos castillos.

1113 Se funda en Jerusalén la orden de los caballeros hospitalarios de San Juan.

1118 Los caballeros templarios construyen su base cerca del Temple, en Jerusalén.

1142 Los cruzados toman y reconstruyen el castillo sirio más grande, el Krak de los Caballeros.

1147-1149 Segunda Cruzada.

1150 El estilo gótico sustituye al románico.

1160 Los constructores de castillos experimentan con distintos diseños para la torre del homenaje: redondas, de varios lados y otras.

1170 Muchos castillos normandos de madera son convertidos en castillos de piedra.

1180 Sube al trono Felipe Augusto, un gran rey francés que construyó muchos castillos.

1188-1192 Tercera Cruzada.

1190 Se fundan los caballeros teutones. Construyen muchos castillos en Europa.

1190 Pasa de moda la torre del homenaje. Los constructores se concentran en castillos con barbacanas y grandes cabezas de puente.

1196 Ricardo I comienza a trabajar en el Chateau Gaillard en Francia. Fue uno de los castillos más fuertes y soportó un sitio de más de un año.

DE 1200 D.C. A 1300 D.C.

1200 Se ponen de moda las torres redondas.

1202-1204 Cuarta Cruzada.

1212 Cruzada de los Niños.

1217-1222 Quinta Cruzada.

1228-1229 Sexta Cruzada

1220 Federico II, uno de los más grandes constructores de castillos, se vuelve Sacro Emperador Romano.

1248-1254 Séptima Cruzada.

1270 Surge el castillo concéntrico.

1270 Octava Cruzada.

1272 Eduardo I sube al trono de Inglaterra. Emprende ataques contra escoceses y galeses, y construye muchos castillos para controlar a la población.

1291 El sultán Baybars toma la ciudad cristiana de Acre y pone fin al movimiento de las Cruzadas.

DE 1300 D.C. A 1400 D.C.

1302 Batalla de Courtrai. Campesinos flamencos armados con picos derrotan a caballeros franceses montados. Esto prueba que los caballeros no son invencibles.

1312 Se disuelven los templarios.

Década de 1320 Se usan los primeros cañones.

1330 Se pone de moda la armadura de planchas.

1337-1453 Guerra de los Cien Años entre Francia e Inglaterra.

1347-1351 La peste negra mata a un tercio de la población europea.

1380 Los castillos comienzan a tener aberturas para disparar armas de fuego.

DE 1400 D.C. A 1600 D.C.

1400 Comienza la decadencia de los castillos.

1415 Batalla de Azincourt. Enrique V de Inglaterra derrota a un ejército de caballeros franceses.

1450 Se construyen murallas más gruesas para proteger los castillos de los cañonazos.

1453 Los turcos otomanos toman Constantinopla: fin del Imperio Bizantino.

1476-1477 Francia lucha contra el ducado de Borgoña. El uso de picas y armas de fuego prueba que la era de los caballeros está terminando.

Años 1500 Los nobles convierten sus castillos en residencias más cómodas o construyen palacios.

1509 En lugar de castillos, Enrique VIII construye fuertes diseñados para tirar con armas de fuego, sin habitantes permanentes.

DE 1600 D.C. A 2000 D.C.

1650 Muchas ciudades de Francia se protegen con fuertes en forma de estrella.

1800 Los castillos se vuelven un símbolo de la "Edad de la Caballería".

1854 El arquitecto francés Eugène-Emmanuel Viollet-le-Duc comienza a publicar libros sobre castillos medievales y renueva el interés en el tema.

1869 Se comienza a construir el Schloss de Neuschwanstein, un castillo de fantasía para el rey Luis II de Baviera.

Índice

RESPUESTAS a "Ponte a prueba"

Página 5 Los caballeros
1. c   2. a   3. c   4. b

Página 7 Construir un castillo
1. a   2. c   3. b   4. b

Página 9 Tipos de castillos
1. b   2. a   3. b   4. c

Página 11 Las partes del castillo
1. b   2. b   3. c   4. b

Página 13 La vida en el castillo
1. b   2. a   3. c   4. a

Página 15 Armarse caballero
1. b   2. b   3. a   4. c

Página 17 Heráldica
1. a   2. c   3. c   4. b

Página 19 Caballos
1. a   2. c   3. b   4. b

Página 21 Armamento
1. c   2. a   3. a   4. b

Página 23 Armaduras
1. a   2. b   3. c   4. b

Página 25 El asedio
1. b   2. b   3. c   4. b

Página 27 La defensa
1. b   2. c   3. a   4. a

Página 29 Las Cruzadas
1. b   2. a   3. c   4. a

Página 31 El feudo
1. c   2. a   3. c   4. c

Página 33 Pasatiempos
1. c   2. b   3. b   4. a

Página 35 Torneos
1. c   2. b   3. a   4. b

Página 37 Los últimos castillos
1. c   2. a   3. b   4. b